中国动画典藏（拼音认读版）

JINHOU XIANGYAO

金猴降妖 ②

美猴王巧计救师父

张 宇 策划
上海美术电影制片厂 出品
华 蕾等 改编
任 平 邱文昭等 绘画

北方联合出版传媒（集团）股份有限公司
辽宁少年儿童出版社
沈阳

Y0-CDO-851

© 上海美术电影制片厂　华　蕾等　2017

图书在版编目（CIP）数据

金猴降妖. 2, 美猴王巧计救师父 / 上海美术电影
制片厂出品；华蕾等改编. — 沈阳：辽宁少年儿童出
版社, 2017.1
（中国动画典藏）
ISBN 978-7-5315-6963-3

Ⅰ. ①金… Ⅱ. ①上… ②华… Ⅲ. ①儿童故事—中
国—当代 Ⅳ. ①I287.5

中国版本图书馆CIP数据核字(2016)第254858号

出版发行：北方联合出版传媒（集团）股份有限公司
辽宁少年儿童出版社
出版人：张国际
地址：沈阳市和平区十一纬路 25 号　　邮编：110003
发行部电话：024-23284265 23284261　　总编室电话：024-23284269
E-mail:lnsecbs@163.com
http://www.lnse.com
承印厂：辽宁新华印务有限公司

责任编辑：孟　萍		责任校对：段胜雪	
封面设计：郑　屹　李　萍		版式设计：精一视觉	
责任印制：吕国刚			

幅面尺寸：205mm × 185mm
印　　张：5　　　　　字数：63 千字
出版时间：2017 年 1 月第 1 版
印刷时间：2017 年 3 月第 2 次印刷
标准书号：ISBN 978-7-5315-6963-3
定　　价：16.80 元

前言

儿童专家指出，幼儿时期是孩子认读能力发展的关键期。这个年龄段的孩子会表现出积极的认知欲望，有着独特的认知方式。他们对汉字的象形特点和漂亮的图画感兴趣，喜欢把图与字联系起来记忆，并学习表达。

让孩子多接触图书、爱上读书的首选方法就是给孩子读"拼音认读故事"。爱听故事，爱读故事，是每个孩子的天性。一个好故事，可以激发孩子的想象力，丰富孩子的知识。我们可以借助精彩的动画故事，对孩子进行早期的认读教育，让孩子自然地把图画、声音、词语联系起来，在阅读中认知汉字。

"中国动画典藏"系列拼音认读故事就是根据这一理念编写的。书中故事选自中国经典动画，左页是与情节对应的精彩大图，右页文字中穿插辅助阅读的小图，让孩子在"读"故事的同时，激发其"看"故事的兴趣，让他们轻松学会自己"讲"故事，加深孩子记忆，最终在这一过程中提升阅读能力。每则故事后面都附有"亲子问答"，启发孩子思考、回味读过的故事，这是父母带领孩子走进童话世界，完成亲子共读的重要环节。

亲爱的爸爸妈妈，快快翻开书，和孩子一起享受阅读的快乐吧！帮助孩子迈好自主阅读的第一步，你将为他们的进步感到惊讶和喜悦！

目 录

重回花果山

孙悟空回到花果山，看到石头上雕刻的"花果山"早已布满灰尘，而昔日的家乡也失去了往日的繁华。他满腹心事地拍去灰尘，扶正石头。这动静惊动了洞里的猴子。

一群小猴子跳出来说："谁呀？"

这时，一只年老的猴子揉揉眼睛，激动地喊道："是大圣爷爷！只是我这老猴子年事已高，蹒跚而来。今天您可算回来了！"孙悟空连忙扶住他。小猴子们都高兴地喊起来："噢，大圣爷爷回来了！"

孙悟空顾不得别的，疑惑地说："你们为何一个个躲藏起来？我来了好一阵，不见你们的影子。"老猴子叹了一口气，说："自从大圣被压在五行山下，猴儿们逃的逃，死的死，好端端的花果山早已……"

孙悟空环顾四周，只见四面草木俱无，荒芜凄凉，问道："还有多少猴儿在此山上？"老猴子流下泪来："老的小的不过百个……不过，大圣随唐僧西天取经，怎么现在突然回来了？"

听到这个，孙悟空更是无奈，只好摇着头说："一言难尽啊！"

老猴子很会看脸色，话锋一转，又说道："大圣何必要去当和尚，不如留在山里跟我们在一起啊！"小猴子们跟着一起欢呼起来："大圣爷爷留下来！"

"好！"孙悟空之前的坏心情一扫而光，一鼓作气，"俺老孙回来了，就要把我们这山山水水收拾一番！"说完，他腾云而上，相继喊出风婆婆、吹云童子、雷公、电母。

接着，他又翻到东海，喊

道：“有请东海龙王！”海上很快一片

奔腾，东海龙王从中探出头来，

孙悟空引着他前往花果山。风婆

婆拿出造风工具，一阵旋转，风

越来越大，吹得乱石都滚下了山……

吹云童子的造云车轰隆隆地滚过，一朵朵云彩 在车轮下开出花来。雷公和电母也不停歇，一个敲着天鼓打雷，一个打着铜钹打闪电，噼里啪啦地一阵响，吓得小猴子们都争先恐后地往山洞里跑。

孙悟空 和东海龙王 到了花果山，很快就下起雨来。龙王在乌云里奔腾，雨越下越大。水帘洞前终于恢复了水帘 ，花果山的猴子们都开心地在水中玩耍起来 。

送走各位神仙，花果山草木复苏，山清水秀，猴丁兴旺，安居乐业，终于又重新恢复了生机。孙悟空又做了一面彩旗插在洞口，上面写着"齐天大圣"四个大字。他每日玩耍、喝酒，再也不提取经二字。

而唐僧这边，赶走了孙悟空，师徒三人再次上路了。三人在荒郊走了一天，唐僧看到天色渐晚，吩咐道："八戒，天快要黑了，得赶紧找个住处才好啊。"八戒连忙说："好，师父您先下马休息，我去附近找找人家。"

他又吩咐沙僧："师弟，保护

好师父，千万要小心，别走远了。"

猪八戒 走了十余里，却一个人

家都没有见到，累得坐在地上直喘

气。走进一片稻草里 ，猪八戒便

扔下耙子 躺在里面，伸了个懒腰，

说道："真是快活啊！"

不一会儿，猪八戒就在稻草

地里睡着了，这一睡不要紧，

直接睡到了大晚上。唐僧这边

等不及了："这么晚了，怎么还不见

八戒回来？"沙和尚摇摇头，

说道："这呆子，不知道跑到哪里去

了。"

亲子问答

❶ 孙悟空回到花果山，花果山发生了怎样的变化？

❷ 孙悟空做了一面彩旗插在洞口，上面写着哪四个大字？

❸ 猪八戒去找人家，结果怎样了？

唐僧入魔爪

这时，远处传来钟声，唐僧和沙和尚寻声望去，竟是一座宝塔。那宝塔金光闪烁，彩气腾腾。唐僧说道："那里不是一座宝塔吗？塔下都会有寺院，院内也会有寺庙。有塔就有寺庙！"

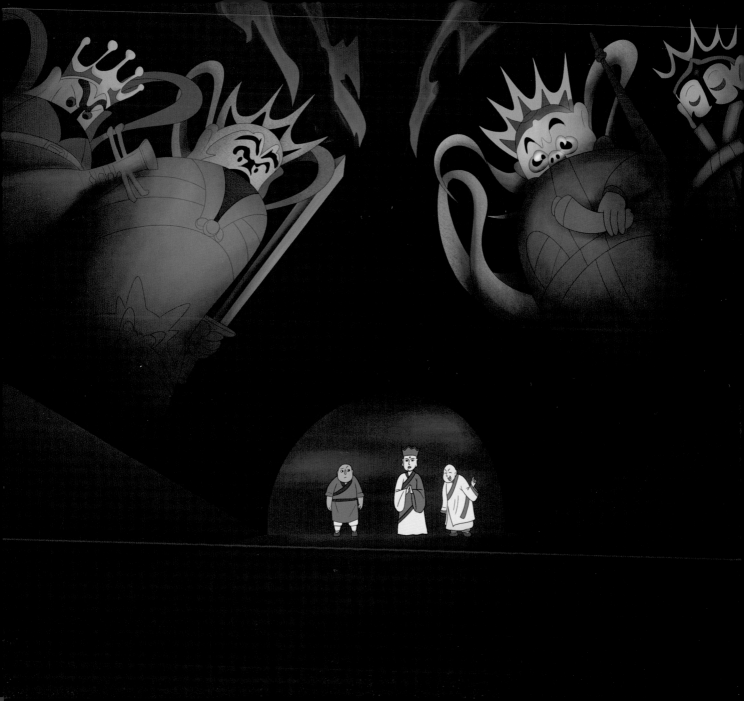

沙和尚有些怀疑："奇怪，荒山野地，怎么会有这种庙呢？"唐僧没有戒心，说道："出家人逢寺必拜，我们去了也好有个住处。"沙和尚没有别的选择，只好同意了。两人很快找到了寺庙。

他们跟随僧人进了寺庙，走进大厅。大厅内香烟弥漫，四周站着四大天王，正前方立着的正是如来佛祖。唐僧一见佛祖立刻跪拜，沙僧环顾四周，觉得氛围有些奇怪。

这时，殿内响起了"南无阿弥陀佛"的声音，声音越来越大，唐僧也跟着念了起来。沙和尚感觉越来越不对劲，连忙站了起来。油灯闪烁，灯芯越来越小，最后竟突然熄灭了。

黑暗中，无数双闪烁的眼睛围绕

着唐僧旋转，唐僧吓了一跳，沙

和尚连忙扶住师父。只见从那油

灯里跳出无数水滴，最后冒出一股白

烟。闪电过后，"如来佛祖"变成

了白骨精！

那个僧人原来是蝙蝠变的，他变回原形，和其他妖精一起绑住了唐僧和沙和尚。沙和尚急得大喊："师父！"妖精们上前把他摁在地上，让他动弹不得。白骨精终于得逞，开心地大笑起来。

稻草地里猪八戒还正睡得香呢，土地公公探出头来，叫醒了猪八戒："你师父和师弟都被白骨精抓进洞里去了！"猪八戒大吃一惊："那妖洞在哪儿？"土地公公带着猪八戒来到白骨精洞口前。

猪八戒拿起耙子砸向洞门："开门！"小妖精一看猪八戒，连忙回去禀报白骨精："夫人，外面来了个长嘴大耳朵的和尚正叫嚣着让我们开门呢！"白骨精笑道："既然猪八戒他自己找上门来了，我就会他一会！"

老虎精连忙说："哪用夫人出手，让我去把他拿下！"老虎精手拿武器，跳出来与猪八戒说："我们刚抓了你师父，正等你来一起蒸了吃呢！"猪八戒一听大怒，直接举耙打向老虎精。

两人打了几个回合，猪八戒累得直喘气，竟差点儿败在老虎精手里，好不容易才逃了出去。山洞里，白骨精吩咐飞来蝠："你去金湖洞有请老太夫人，说我要为她祝寿，请她吃唐僧肉。"

话说猪八戒 逃出去后，直奔花果山而去，这种时候，只好请大师兄 去救师父了。花果山正一片繁荣景象，猴子们都有吃有喝，其乐融融。一只年轻猴子 正在表演节目，他假装在练武功，却冷不丁偷偷挠了小猴子一把。

孙悟空头戴金冠，坐在宝座上，看到这一幕，开心地笑了起来。

猪八戒躲在山后，竟也被节目逗笑了。孙悟空一听，变脸道："呔！哪里来的僧人？"猪八戒吓了一跳，看到那么多猴子看着，连忙躲了起来。

孙悟空 却像不认识他似的吩

咐道：“小的们，给我带上来！”小猴

子们  一窝蜂地冲上去，围住猪

八戒  叽叽喳喳地喊起来。

猪八戒连忙大喊："不是生人，是熟人！"孙悟空冷笑道："哦，原来是猪八戒啊，你不跟师父取经去，来我花果山干什么？"猪八戒摆脱小猴子们的围攻，走到孙悟空面前，笑着说："嘿嘿，师父想你了，让我来请你的。"

亲子问答

·⊗❶ 唐僧和沙和尚真的发现了一座寺庙吗？

·⊗❷ 寺庙中的如来佛祖是谁假扮的？

·⊗❸ 猪八戒去求助孙悟空，但他开始和
   孙悟空是怎么说的？

悟空救师父

孙悟空  才不信："他不会想我，也不会请我，我不去！"八戒刚想说话，孙悟空又说："我这里，天不收，地不管，自由自在，去做什么和尚啊！你回去吧！"八戒 又说："师父真的想你……"

不等八戒说完，小猴子们

再次蜂拥而上，把猪八戒赶了出去。

孙悟空左思右想，觉得猪八戒像

是有事瞒着他，便变作一只蜜蜂

跟着八戒，看看到底是怎么回

事。

猪八戒一边走一边骂："这猴头，不做和尚做妖怪，真不是个东西！"听到这里，孙悟空狠狠地蜇了他一下，变回原形责怪道："你这蠢货，为什么要在背后骂俺？"猪八戒吓得赶紧求饶："猴哥，我不曾骂你。"

孙悟空举起棒子：“你不说实话，看俺用棒子给你送行。”猪八戒只好说道：“不瞒你说，师父真的遇难了，他和师弟现在被抓进了白骨洞里……”一听这个，孙悟空急坏了：“该死的八戒怎么不早说？！”

猪八戒说道："我怕哥哥你记恨师父……"孙悟空无心与他争辩："少废话，搭救师父要紧。"猪八戒喜出望外："这就对了，妖精要是知道大师兄出山，一定吓得逃跑了。"

孙悟空 却甩开猪八戒："慢着，俺不去了。"猪八戒 目瞪口呆，这怎么一会儿一变哪！孙悟空傲慢地说："你回去跟师父 说，让他感化妖怪 ，放他出洞不就行了。"猪八戒无奈："妖怪怎么感化得了哇！"

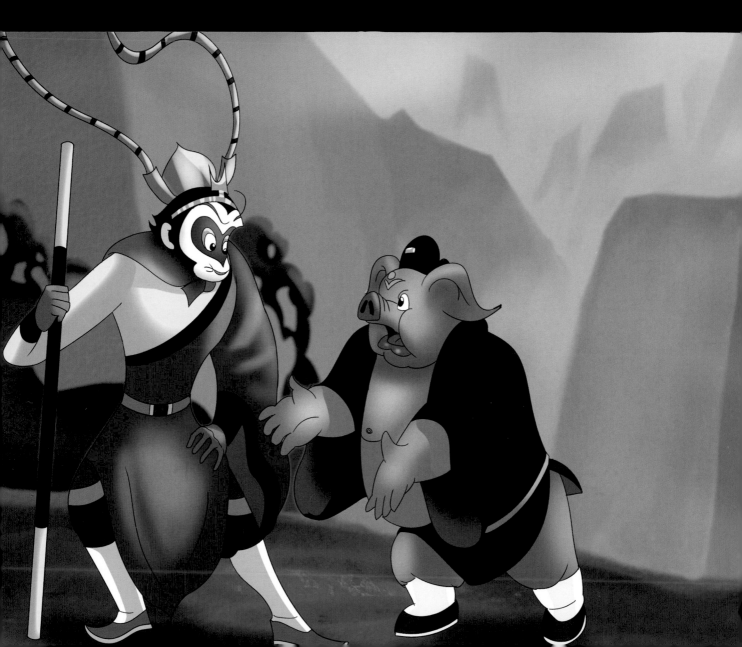

无论怎么说，孙悟空就是不去。

猪八戒也生气了："师兄，你也太不讲情义了。"孙悟空说道："师父无情，莫怪徒儿无义。"猪八戒再也忍不住了："好，你不去，我去！就算救不了师父，我也不枉费师父待我一场。"

说着竟然真的走了。看着远去的背影，孙悟空笑着举起了大拇指：“好八戒，有长进！”这一切，都被猴子们看在眼里。老猴子对大圣说：“大圣，你日夜想着去西天取经，为什么他们来请，你又不去呢？”

孙悟空 解释说："那白骨精 太过狡猾，要是八戒走漏了风声，只怕对师父不利，倒不如先把猪八戒 气走，我再偷偷赶过去救师父。"他又解下袍子，"孩儿们，看管好花果山，俺老孙立刻下山！"

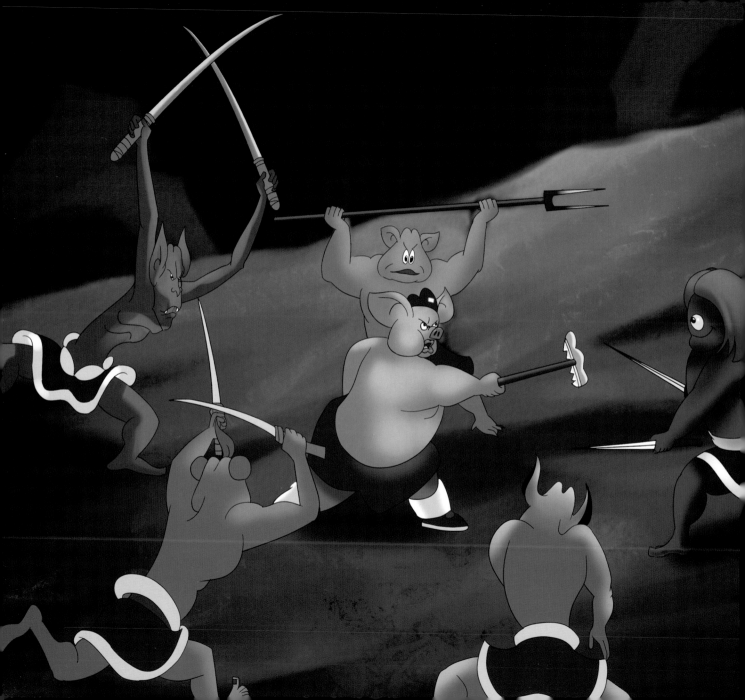

猪八戒 一鼓作气，所向披靡，不仅直接捣毁了白骨精的大门，还打跑了一大批妖精。不过，这其实是妖精的诡计，猪八戒气鼓鼓地跑进洞里，却被躲在山后的妖精抓个正着。

另一边，孙悟空化作一只妖

精，坐在途经金湖洞的路边，等

着拦住飞来蝠。果然，飞来蝠一

路赶来，口渴难耐，向孙悟空讨酒

喝。孙悟空灌醉了飞来蝠，套出

了他的秘密。

孙悟空 一边搀着他，一边又打听：“唐僧还没死？”飞来蝠说道：“没有，等金湖大仙到了，才开刀呢！”两人一路走，一路聊，很快来到了金湖洞口。孙悟空打死飞来蝠，自己变作了他的模样。

孙悟空见到金湖大仙 ，说道："我家夫人请奶奶去吃唐僧肉，请！"金湖大仙一听，眼睛冒着金光，拍手笑道："果然是个孝顺的女儿，快！我们快去！"金湖大仙跟着"孙来蝠" 出了门。

亲子问答

·⊱❶ 悟空不放心猪八戒，化作什么跟着他？

·⊱❷ 孙悟空使了什么计策让猪八戒先去救师父？

·⊱❸ 孙悟空用什么办法救师父？

师徒重归于好

走到一半，"孙来蝠"假装

让大家休息，趁机打死了小妖精，烧

死了金湖大仙。孙悟空又拔

出几根猴毛，变作抬轿子的小妖

精，自己变作金湖大仙向白

骨洞走去。

唐僧被囚禁在洞里，他的袈裟被小妖精们抢着往自己身上穿，老虎精还学着唐僧的样子说："阿弥陀佛。"老鼠精拿着唐僧的帽子玩起了杂技，经书也被妖精们翻得到处都是。

白骨精  看着猪八戒的耙子

嘲笑道:"这蠢猪还把庄稼人的玩意儿当武器,哈哈……"猪八戒  恨得牙痒痒:"要是把武器给俺,俺在你头上砸几个洞!"白骨精不干了,吩咐手下 先拿他开刀下锅。

"报——太夫人驾到！"听到这里，白骨精制止了手下，连忙迎接金湖大仙。

猪八戒一眼就认出了大师兄，他

嘿嘿笑了起来，跟沙和尚  说道：

"只怕死不成了，看着金湖大仙有

大师兄的风采。"没想到孙悟空

有意调戏，走到猪八戒 面前

说："这耳朵，肉厚好吃，为娘最喜

欢了。"

这时，唐僧被押了出来。"金湖大仙"走上前问道："你的大徒弟孙悟空怎么不在啊？"唐僧说道："他一天之内伤了三人性命，犯了佛门戒律，被我赶走了……""哈哈……"白骨精听到这里，大笑起来。

"金湖大仙" 问白骨精:"女儿为何发笑?" 白骨精 得意地说:"这是女儿略施手段,三次变换人形  将他们师徒分离。" "金湖大仙"趁机让白骨精再变一次,好叫师父 看清她的真面目。

此时，唐僧才明白，是自己误解

了孙悟空，他后悔不已，半天说

不出话，只憋出一句呐喊："悟空！"

看到师父这个样子，孙悟空也

湿了眼眶。他偷偷帮八戒和沙

僧松了绑，又变出无数小猴子跟

妖精们打了起来。

白骨精 这时才知道自己上了当。她打不过孙悟空，只好趁孙悟空 不注意抓走了唐僧，飞到了半空中。孙悟空紧追不舍，白骨精威胁道："孙悟空，你竟然变作我母亲  骗我，你再向前一步，我就摔死你师父！"

孙悟空回击道:"有多少招你就使出来吧!"白骨精高举唐僧，狠狠地甩了下去。孙悟空变出一朵云彩，接住了唐僧。又转身回来寻找白骨精。

bái gǔ jīng biàn zuò yí gè hēi sè hún pò

白骨精变作一个黑色魂魄，

yóu dàng zài shān ào chù　　sūn wù kōng què nài hé tā bù

游荡在山坳处，孙悟空却奈何她不

dé　　sūn wù kōng　　　　zhǐ hǎo shǐ yòng huǒ yǎn jīn jīng

得。孙悟空　　只好使用火眼金睛，

kàn chū bái gǔ jīng huà zuò le yì zūn bái gǔ　　tā

看出白骨精化作了一尊白骨。他

biàn chéng yì zhī bái hè　　　　　dāo suì le bái gǔ de

变成一只白鹤　　　，叨碎了白骨的

yī fu　　yòu jiāng bái gǔ rēng zài le táng sēng　　miàn

衣服，又将白骨扔在了唐僧面

qián

前。

"师父，这就是那白骨夫人，你看如何处置啊？"孙悟空问道。唐僧诚心诚意地说："徒儿，这回师父听你的了。"孙悟空道声"好"，便用火将白骨烧了个干净。

这时，猪八戒和沙和尚也从远处回来了，他们杀了小妖精，烧了白骨洞。师徒四人团聚了。唐僧愧疚地说："贤徒，你受委屈了。"孙悟空嘿嘿一笑："没有没有，只求师父以后少念点儿紧箍咒就行了。"

就这样，在经历了白骨精事件后，唐僧向孙悟空道了歉，师徒间的关系也再无嫌隙。孙悟空重新归队，跟着猪八戒和沙和尚继续保护唐僧，前往西天取经。前方还有更多困难在等着他们……

亲子问答

•✇❶ 孙悟空变作谁来到了白骨洞?

•✇❷ 唐僧是怎么知道误解了孙悟空的?

•✇❸ 师徒怎样处置了白骨精?